Massage

Die besten Techniken zur gesunden Entspannung

Wichtiger Hinweis

Dieses Buch wurde nach dem aktuellen Wissensstand sorgfältig erarbeitet.
Dennoch erfolgen alle Angaben ohne Gewähr. Der Verlag haftet nicht
für eventuelle Nachteile und Schäden, die aus den im Buch gemachten
praktischen Hinweisen resultieren. Die in diesem Buch enthaltenen Ratschläge
ersetzen nicht die Untersuchung und Betreuung durch einen Arzt.
Vor Durchführung einer Selbstbehandlung sollte ein Arzt konsultiert
werden, insbesondere wenn Sie an Gesundheitsbeschwerden leiden,
regelmäßig Medikamente zu sich nehmen oder schwanger sind.

INHALT

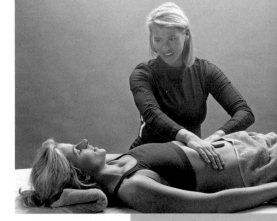

EINFÜHRUNG

Dass Menschen anderen Menschen mit ihren Händen Gutes tun, ist so alt wie die Menschheit selbst, älter als jede schriftliche Überlieferung. Vieles von der heilenden Wirkung der Hände ist tief in unserem Stammhirn eingegraben. Denken Sie einmal daran, wie Sie instinktiv reagieren, wenn Sie Kopfschmerzen plagen. Sie nehmen beide Handflächen vor das Gesicht und drücken mit den Fingerspitzen auf die Stirn oder auch mit den Mittel- und Zeigefingern auf die Nasenwurzel. Ohne überhaupt nachzudenken, ohne in einem Lehrbuch nachgelesen oder an einem Volkshochschul-Kurs teilgenommen zu haben, wenden Sie eine passende Akupressurtechnik an und registrieren in vielen Fällen auch eine schnelle Linderung des Schmerzes.

Die Massage-Behandlung an sich gehört zu den ältesten medizinischen Therapien und findet sich in der Überlieferung vieler Völker: bei den Indern, den Chinesen und besonders den Griechen. Denen haben wir übrigens auch das Wort „Massage" zu verdanken. „Massein" bedeutet nämlich „Kneten" und umschreibt eine der wichtigsten Massagetechniken. Es wird schon im fünften vorchristlichen Jahrhundert von dem berühmten Arzt Hippokrates als Heilmethode gerühmt. Massage bedeutet nicht, einem anderen mehr oder weniger oberflächlich über die Haut zu streichen. Massage erfordert Konzentration und Kraft, den ganzen Menschen. Wenn Sie jemandem eine Massage „schenken", geben Sie ihm mehr als nur Reibungen oder Knetungen, Sie geben ihm vielmehr eine sehr intensive Zuwendung. Diese Zuwendung wird Ihnen zu Beginn nicht leicht fallen, weil Sie dabei einem anderen Menschen ungewohnt nahe kommen müssen, weil Sie die üblichen zwischenmenschlichen Distanzen überbrücken und dem anderen gewissermaßen „an die Pelle" gehen müssen. Diese Nähe ist auch dem an Massage nicht gewöhnten Partner etwas gänzlich Neues, was von Ihnen viel Einfühlungsvermögen verlangt. Doch diese Zuwendung und die damit verbundene Nähe wird Ihnen gut tun – ebenso wie Ihrem Partner. Auf diese Weise treten Sie nämlich in eine neue, wundervolle Art von Beziehung zu Ihrem Partner ein, die von größerer Rücksichtnahme und Vorsicht geprägt ist. Zugleich erhalten Sie die Möglichkeit, sich auf sich selbst zu besinnen – ein Vorgang für den in unserer hektischen Zeit sonst oftmals keine Zeit bleibt: Einen anderen zu berühren bedeutet ja immer auch, sich selbst wahrzunehmen und Vertrauen und Selbstgefühl zu erleben. Massage geht also unter die Haut, bleibt nicht nur an der Oberfläche und gibt Gelegenheit, sich in der eigenen Haut wohl zu fühlen. Wer sich aber in seiner Haut

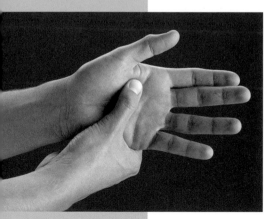

wohl fühlt, der ist meist ein Stück zufriedener, ganz bestimmt jedoch ausgeglichener.

Sie müssen nicht esoterischem Gedankengut nachhängen, um beim Massieren zu spüren, wie Ihre Fingerspitzen Energieströme übertragen. Mag sein, dass es sich nur um das Minimum an elektrischer Energie handelt, das ja bei jeder Reibung erzeugt wird. Verstärkt wird dieser möglicherweise schwache Effekt sicher noch durch das Gefühl der Wärme, das unsere Hand der empfindsamen Haut des anderen vermittelt.

Dieses Buch soll Ihnen einerseits dabei helfen, die oft instinktiv angewendeten Praktiken und Techniken zu vervollkommnen, und Sie andererseits lehren, sie bewusst einzusetzen. Dazu wird es Sie mit den wichtigsten Griffen und Techniken der Massagetherapie so vertraut machen, dass Sie bei sich und anderen mit einem Minimum an Zeit, Kraft und Aufwand ein Maximum an Effekt erreichen. Bei allen Übungen und Anweisungen kommt es immer darauf an, so einfühlsam zu massieren, dass Sie direkt auf die Regungen und Bewegungen Ihres Partners eingehen und ihm während der Massage keine Schmerzen verursachen. Dasselbe gilt natürlich auch für eine Selbstmassage. Auch hier sollten Sie Ihr Augenmerk darauf richten, sich durch die richtigen Techniken Wohlbehagen zu verschaffen und Schmerzen oder andere Unannehmlichkeiten zu vermeiden.

Wenn Sie dieses Buch durchgelesen und die in Bild und Text vorgestellten Massagetechniken eingeübt haben, beherrschen Sie außerdem nicht nur formale Bewegungsabläufe. Es geht um mehr als um das Einwirken einer Hand auf die Haut und die Muskeln in einer bestimmten Richtung und bei einem bestimmten Druck. Ganz nebenbei werden Sie viel über sich selbst und Ihren eigenen Körper gelernt haben. Beim Ertasten von Muskeln, Gefäßen und Bindegewebe gewinnen Sie tiefe Einblicke in die Geheimnisse des Wunderwerks Körper. Sie werden in einer geradezu beglückenden Weise spüren, wie Sie mit der heilenden Kraft Ihrer Hände anderen Menschen etwas schenken: Tiefe Entspannung, Wohlgefühl und oft auch wohltuende Befreiung von Schmerzen.

Nachdem im eher körperfeindlichen Mittelalter das Wissen von der **Heilkraft der Massage** weitgehend verloren ging, entwickelte sich in den letzten hundert Jahren der Wissenszweig der „Physiotherapie", der weit über das eigentliche Massieren hinausgeht und Behandlungen mit Wasser (Hydrotherapie) und Eis (Kryotherapie) sowie auch Elektrotherapie und Wärmebehandlungen (z. B. Fango) umfasst.

Zur Massage im engeren Sinn gehören:

- klassische Massage oder Heilmassage
- Bindegewebsmassage
- Reflexzonenmassage
- Lymphdrainage

Die Heilmassage steht im Mittelpunkt dieses Buchs, weil sie auch von Laien leicht erlernt und angewendet werden kann. Sie setzt am aktiven Bewegungsapparat, also am Muskel- und Sehnengewebe an und beeinflusst damit indirekt auch die Gelenke (mit Knochen, Bändern, Knorpel und Gelenkkapseln).

Massage wird als Therapie meist dann eingesetzt, wenn – aus welchen Gründen auch immer – Muskeln oder Muskelgruppen ihre Funktion nicht richtig erfüllen können. In solchen Fällen meldet sich ein zuverlässiges Alarmsystem des Körpers mit Schmerzsignalen. Ursache des Schmerzes ist meist ein erhöhter Spannungszustand im Muskelgewebe. Steht die Muskulatur unter zu starker Spannung, erschwert das einerseits den Blutkreislauf und damit die Versorgung mit Sauerstoff und Energielieferanten, andererseits aber auch den Abtransport von Verbrennungsrückständen. Bei einem angespannten Muskel kann die Durchblutung so stark eingeschränkt werden, dass es einer Abschnürung gleichkommt! Da die angespannten Muskelbereiche nicht mehr ausreichend mit Sauerstoff versorgt werden, arbeiten sie „anaerob", also ohne Sauerstoffzufuhr. Diese Notversorgung funktioniert eine Weile, allerdings mit dem Negativeffekt einer verstärkten Milchsäurebildung, die wegen der mangelhaften Durchblutung nur sehr langsam wieder abgebaut wird. Diesen Kreislauf kann die klassische Massage unterbrechen, weil sie – richtig angewendet – den Kreislauf von Blut und Lymphe wirksam fördert. Die überhöhte Muskelspannung kann aber auch auf „reflektorischem"Weg verändert werden: In unserer Haut wie auch in unseren Muskeln befinden sich die verschiedensten „Rezeptoren" (= Reizempfänger), die Reize wie Kälte, Wärme, Druck, Zug oder auch Spannung wahrnehmen und dem Gehirn – über Nervenbahnen und Rückenmark – melden. Bei einem Reflex werden diese Impulse nicht auf den langen Weg bis zum Gehirn geschickt, sondern gleich im Rückenmark „umgeschaltet". Es kommt zu einer schnelleren und mitunter ungewollten Reaktion. Dieser Effekt wird bei der Massage ausgenutzt. Werden z. B. mit den Händen die Rezeptoren der Sehnen von verspannten Muskeln bearbeitet, lässt die Anspannung unwillkürlich nach. Dies ist auch von Laien recht einfach nachzuvollziehen. Schwieriger wird es bei anderen Reflexzonentherapien, weil sie deutlich mehr anatomische Kenntnisse voraussetzen.

Dieses Buch will Ihnen ohne ein Übermaß an Theorie so viel an Grundkenntnissen vermitteln, dass Sie selbst eine Massage-Behandlung durchführen können, sei es, um körperliche Beschwerden zu lindern, sei es, um Stress und Anspannung abzubauen oder einfach nur zur Belebung, um neue Energie zu tanken. Das Buch gibt Ihnen zunächst die wichtigsten Informationen über den Aufbau und die Funktionsweise des Körpers und Sie können nachlesen, welche Hilfsmittel Sie für eine

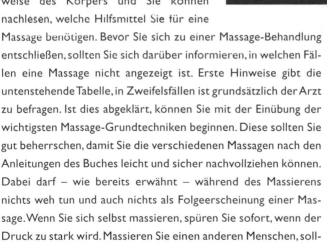

Massage benötigen. Bevor Sie sich zu einer Massage-Behandlung entschließen, sollten Sie sich darüber informieren, in welchen Fällen eine Massage nicht angezeigt ist. Erste Hinweise gibt die untenstehende Tabelle, in Zweifelsfällen ist grundsätzlich der Arzt zu befragen. Ist dies abgeklärt, können Sie mit der Einübung der wichtigsten Massage-Grundtechniken beginnen. Diese sollten Sie gut beherrschen, damit Sie die verschiedenen Massagen nach den Anleitungen des Buches leicht und sicher nachvollziehen können. Dabei darf – wie bereits erwähnt – während des Massierens nichts weh tun und auch nichts als Folgeerscheinung einer Massage. Wenn Sie sich selbst massieren, spüren Sie sofort, wenn der Druck zu stark wird. Massieren Sie einen anderen Menschen, sollten Sie ihn auffordern, sich umgehend zu melden, wenn er Schmerzen empfindet, damit Sie entsprechend reagieren können.

Eine optimale Wirkung der Massageschritte erzielen Sie, wenn Sie die Anwendungen – sofern nicht anders angegeben – jeweils vier- bis sechsmal wiederholen.

Für eine angenehme Massage, die Wohlbefinden, Entspannung oder Linderung von Beschwerden bringt, sind nur wenige **Hilfsmittel** notwendig.

Das wichtigste Handwerkszeug, das Sie für eine gute Massage brauchen, tragen Sie schon bei sich: Ihre Hände. Diese sollten, wenn Sie sich an eine Massage machen, möglichst eine angenehm warme Temperatur haben, damit Ihr Partner oder auch Sie selbst bei einer Berührung nicht erschrecken und sich nicht verkrampfen. Achten Sie darüber hinaus auf kurze Fingernägel: Viele Massagegriffe verlangen den Einsatz von Fingerkuppen, und zu lange Fingernägel graben sich dabei unangenehm in die Haut ein. Legen Sie außerdem Uhr und Ringe ab. So beugen Sie Verletzungen vor.

Ferner ist es wichtig, dass Ihr Partner bequem und entspannt liegt. Ideal ist ein spezieller Massagetisch, der eine hohe Standfestigkeit hat und sich in der Höhe verstellen lässt, um den Rücken des Massierenden zu schonen. Da jedoch in aller Regel nur Profis über einen solchen Tisch verfügen, kann für eine Massage zu Hause auch eine ungefähr 10 cm hohe und nicht zu weiche Matratze auf einen stabilen, möglichst hüfthohen Tisch (etwa einen Küchentisch oder einen stabilen Schreibtisch) gelegt werden. Das ist ein brauchbarer Ersatz für den professionellen Massagetisch. Wer über eine solche Möglichkeit nicht verfügt, sollte eine Matratze auf den Fußboden legen und im Knien massieren. Das funktioniert ganz gut, ist aber etwas anstrengender und verlangt eine weiche Unterlage für Ihre Knie. Auf dem Bett massieren sollten

Sie nur bei einer harten und nicht durchhängenden Matratze. Meist ist aber die Arbeitshöhe unbequem. Wenn es also nicht um die Massagebehandlung von Schlafstörungen geht, sollten Sie lieber außerhalb des Betts massieren.

Unverzichtbare Hilfsmittel sind Kissen, Nackenrollen, weiche Bettlaken oder Badetücher, die als Unterlagen dienen und für entspanntes Liegen sorgen. In der Rückenlage unterlegen Sie damit Kniekehlen und Nacken. Für die entspannte Bauchlage benötigen Sie hingegen eine Unterlage unter der Stirn und eine Unterlegung des Sprunggelenks, um eine angenehme leichte Beugung des Knies zu erreichen. Eine wichtige Rolle spielt auch eine angenehme Raumtemperatur. Damit der Partner beim Massieren nicht auskühlt, halten Sie die gerade nicht behandelten Körperpartien am besten mit Handtüchern oder Decken warm.

Notwendig ist ein gutes Massageöl als Gleitmittel speziell für reibende und knetende Techniken. Das Angebot ist reichhaltig und bietet duftende oder durchblutungsfördernde Zusätze (Rosmarin, Fichtennadel, Arnika). Diese Aromen werden sowohl vom Geruchssinn als auch von der Haut aufgenommen und wecken bei jedem Menschen individuell verschiedene Empfindungen. Wählen Sie hier ganz nach Ihrem persönlichen Geschmack. Sollte bei Ihrem Partner oder Ihnen allerdings die Neigung zu allergischen Reaktionen bestehen, sind Sie mit einem neutralen Öl am besten beraten. Aber Vorsicht: Gießen Sie niemals Öl direkt auf die Haut, sondern verteilen Sie jeweils eine kleine Menge auf Ihren Handflächen, damit das Öl Hauttemperatur erreicht. Ölen Sie nicht den ganzen Körper ein, sondern immer nur den Bereich, der gerade massiert wird.

Die angestrebte tiefe Entspannung können Sie zusätzlich durch leise Musik und das Abschalten von störenden Geräuschen fördern (Fenster schließen, Telefonstecker herausziehen). Eine Aromalampe wiederum lässt wohlriechende ätherische Öle verdunsten, die das Raumklima verbessern und beim Einatmen ihre heilende Wirkung entfalten.

DIE GRUNDTECHNIKEN

In vielen Ländern haben sich über lange Zeiten hinweg Menschen mit der heilenden Wirkung von Massage befasst. Und so würde eine vollständige Aufzählung aller inzwischen bekannten Massagetechniken dicke Bücher füllen. Im Wesentlichen lassen sich aber alle Griffe und Techniken zurückführen auf vier Grundformen: Die ersten drei sind leicht nachzuvollziehen: Strei-

chen, Kneten und Zirkelung. Diese Grundtechniken reichen in verschiedenen einfachen Variationen für eine gute und wirkungsvolle Massage aus. Die Klopf- und Vibrationstechniken dagegen setzen schon viel Erfahrung, Kraft und Kondition voraus und sind deshalb auch nur für Fortgeschrittene geeignet. Einprägen sollten Sie sich auch die Zielrichtung der Grundtechniken: Streichen beruhigt und entspannt, weshalb fast jedes Massageprogramm damit beginnt und endet. Kneten ist eine intensive Technik, die vor allem die Durchblutung fördert. Zirkelungen lösen Verkrampfungen. Erfahrungsgemäß wollen viele, die sich mit Massage beschäftigen, möglichst direkt ans Werk gehen. Sie scheuen die Beschäftigung mit Theorie. Da Sie sich aber mit Ihren Händen oder Fingerspitzen auf dem empfindlichen menschlichen Körper bewegen, sollten Sie nach der Beschäftigung mit den anatomischen Grundlagen die nun vorgestellten Griffe und Techniken in aller Ruhe an sich selbst ausprobieren. Am besten eignet sich dazu die Oberschenkelmuskulatur, weil sie bequem erreicht werden kann. Entwickeln Sie ein Gespür für das richtige Tempo (bringen Sie auf keinen Fall Hektik in Ihr Programm) und für den richtigen Druck.

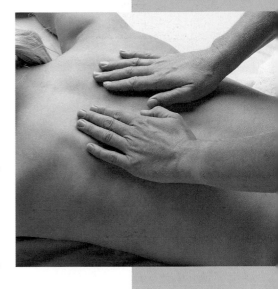

Mit einer sanften und beruhigenden **Strei-chung** beginnt und endet eine gute Massage. Sie ist am besten geeignet, um den ersten Hautkontakt herzustellen, sich und den Partner auf die Massage einzustimmen und auch das Massageöl auf der Haut gut zu verteilen. Verteilen Sie zunächst das Massageöl auf Ihren Handflächen. Setzen Sie dann behutsam (Es ist ja der erste Körperkontakt überhaupt!) die Handflächen auf, die Hände liegen dabei gestreckt auf der Haut, die Finger sind gestreckt und geschlossen. Streichen Sie langsam, gleichmäßig und ohne Unterbrechung in Längsrichtung der Muskulatur. Die Hände gleiten immer wieder zum Ausgangspunkt zurück.

Passen Sie sich dabei an die Konturen des Körpers an. Insgesamt sind Ihre Bewegungen weit und schwungvoll. Denken Sie beim Streichen mit Ihren Händen: Der Partner soll Ihre Griffe als entspannend und beruhigend empfinden. Kontrollieren Sie während des Massierens auch Ihre eigene Haltung: Sie sollten die Arme leicht nach vorn abspreizen und die Ellbogen beugen.

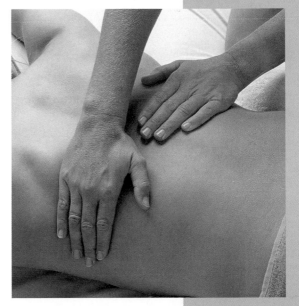

Nach der Streichung folgt in der Regel die schon etwas intensivere Knetung. Sie kann überall dort eingesetzt werden, wo sich Muskulatur und Haut abheben lassen, also z. B. am Oberarm oder am Oberschenkel. Die Technik ähnelt dem Teigkneten oder auch dem Auswringen von Wäsche; sie löst Verspannungen im Muskelgewebe und arbeitet Unterhautfettgewebe und Muskelfasern gründlich durch. Knetungen regen den Kreislauf an und führen den massierten Körperpartien frisches und sauerstoffreiches Blut zu.

Ob Sie mit beiden Händen, mit einer Hand oder nur mit den Fingern kneten, hängt von der Länge des Muskels, seiner Form und Größe ab. Machen Sie sich als erstes mit der **Einhandknetung** vertraut, die sich für kleine und mittelgroße Muskeln (z. B. am Unterarm oder am Bizeps) eignet. Setzen Sie auf der einen Seite des Muskels den Daumen und auf der anderen Seite die restlichen Finger ein. Sie können Muskelpartien dabei leicht abheben. Beginnen Sie mit der Knetung immer sehr sanft und steigern Sie die Intensität behutsam.

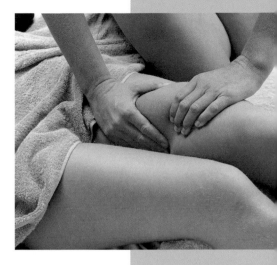

Bei der **Zweihandknetung** „wringen" die Hände, d. h. sie drehen beide die tief umfasste Muskulatur in zwei Richtungen. Eine Hand dreht dabei vom eigenen Körper weg, die andere zum Körper hin. Wenden Sie hier so viel Kraft an, dass der Muskel beim Kneten abhebt. Achten Sie dabei aufmerksam auf das Wohlbefinden des Partners. Danach drehen Sie beide Hände (ebenso gegenläufig) zurück. Arbeiten Sie vom Ursprung des Muskels bis zum Ansatz. Wenn Sie also die Oberschenkel-Vorderseite beidhändig kneten, beginnen Sie oberhalb des Knies und arbeiten sich bis zur Leiste hoch.

Die Technik der Zweihandknetung eignet sich gut für die großen Muskelgruppen des Körpers, z. B. für die Vorder- und Rückseite der Oberschenkel oder für die Gesäßmuskeln. Auch am Trapezmuskel können Sie mit beiden Händen kneten.

Wenn es sich um kleinere oder besonders zarte Muskelpartien handelt, kommt am besten die **Fingerknetung** zum Einsatz. Setzen Sie dabei jeweils nur Daumen, Zeigefinger und Mittelfinger ein. Zeige- und Mittelfinger liegen auf der einen Seite des Muskels, der Daumen greift auf der anderen Seite. Denken Sie daran, dass gerade bei der Fingerknetung zu lange Fingernägel stören.

Verwenden Sie auch hierfür immer genügend Massageöl. Mit der Zeit werden Sie merken, dass Sie selbst vom Massieren schönere Hände und zartere Haut bekommen, weil das Massageöl auch Ihre Haut vor der Austrocknung bewahrt.

Wenn Sie bei der Fingerknetung zu kräftig zugreifen, empfindet Ihr Partner das nicht mehr als angenehm. Um das richtige Gefühl zu entwickeln, sollten Sie an sich selbst (z. B. an den Wangen) ausprobieren, welche Intensität der Bearbeitung zarte Muskelpartien vertragen.

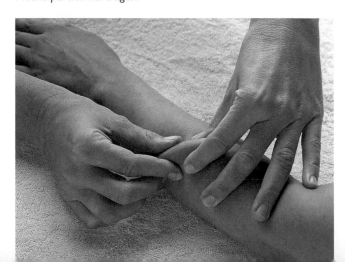

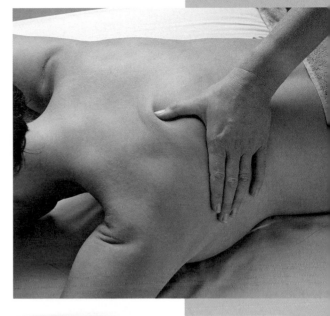

In dem Fachbegriff Zirkelung steckt das lateinische Wort für „Kreis". Gemeint ist eine kreisende Streichung oder auch Drückung. Zirkelungen werden immer dann eingesetzt, wenn es um die gezielte Therapie von Problembereichen geht. Stellen Sie sich bei der **Zirkelung mit dem Daumen** einfach vor, dass Sie Verkrampfungen oder Muskelschmerzen „zerreiben", und führen Sie diese Zirkelungen mit ziemlich viel Druck aus. Achten Sie dabei stets auf die Reaktion des Partners. Kein Massagegriff darf wehtun!

Es ist leicht vorstellbar, dass Sie mit einer kleinen Auflagefläche (Daumen) tiefer in das Muskelgewebe hineinkommen als mit der ganzen Handfläche. Der Daumen als der kräftigste Finger wird deshalb auch am häufigsten eingesetzt, wenn größere und kräftigere Muskeln behandelt werden. Besonders effektiv ist die Zirkelung, wenn mit beiden Daumen gleichzeitig gearbeitet wird.

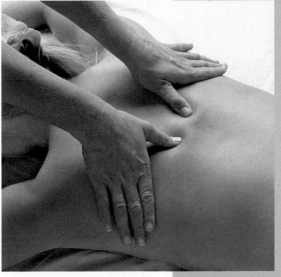

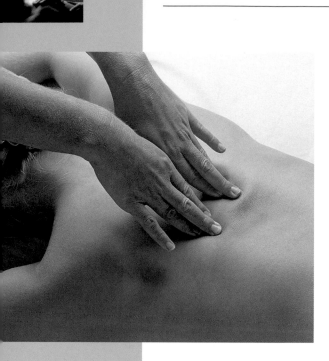

Wenn etwas mehr Druck aus-geübt werden soll, führen Sie die **Zirkelung mit zwei oder drei Fingern** aus. Sie sollten bei der Zirkelung den Rücken gerade lassen, das Ellbogenge-lenk leicht beugen und das Handgelenk fixieren. Je tiefer Sie in das Gewebe hineingrei-fen wollen, desto steiler wer-den die Finger aufgestellt. Beginnen Sie nicht gleich mit voller Kraft, sondern orientie-ren Sie sich erst einmal „tas-tend" und informieren Sie sich auf diese Weise über den Zustand des zu massierenden Muskels.

Setzen Sie dann die Fingerkuppen auf die Haut und beginnen Sie in der obersten Hautschicht, die in kleinen Kreisbewegungen horizontal verschoben oder gedehnt wird. Wenn Sie am Knie zir-keln, bewegen Sie sich in kleinen Kreisen von der Kniescheibe nach außen weg.

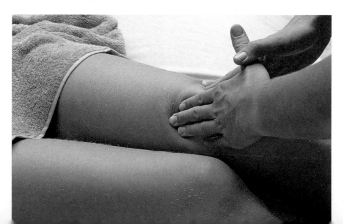

Die folgende Technik, die **Zirkelung mit aufgestützter Hand**, eignet sich zur Behandlung besonders verspannter Muskeln. Wenn Sie größere Wirkung erzielen möchten, legen Sie die freie Hand auf den Rücken der anderen und verstärken Sie den Druck. Bei diesen intensiven Techniken ist eine stabile Unterlage wichtig. Bei einem wackelnden Tisch verlieren Sie schnell den Spaß.

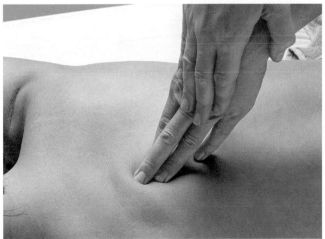

Ideal ist diese Zirkelung zur Behandlung der häufig besonders verspannten Muskulatur zwischen Schulterblättern und Wirbelsäule. Lassen Sie sich Zeit und bleiben Sie ruhig lange auf einer Stelle. Sie werden bald merken, wie sich die Muskeln unter Ihren Fingern entspannen.

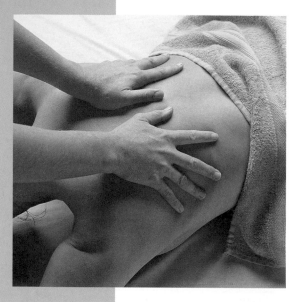

Die **dehnende Streichung** entwickelt sich während einer Massage aus der einleitend eingesetzten flächigen Streichung. Es handelt sich um einen großflächigen Griff, der aber dennoch in deutlich tiefere Bereiche dringt, weil mit mehr Kraft gearbeitet wird. Während Sie bei den flächigen Streichungen gleichmäßig mit der gesamten Handfläche und den Fingern gearbeitet haben, wird nun die Handfläche leicht gewölbt über den zu behandelnden Körperteil geführt.

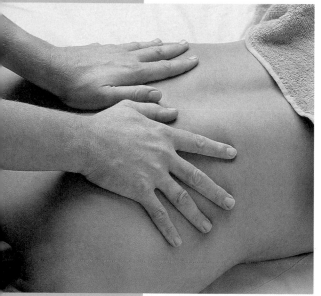

Am Muskelrand befinden sich zwei bis drei Finger. Versuchen Sie, mit den fest aufliegenden Fingerkuppen tief zum Muskelrand vorzudringen und einen Dehneffekt zu erreichen. Gehen Sie aber nicht so weit, dass ein Gefühl des „Schneidens" entsteht.

Greifen Sie beherzt zu, ohne dabei zu vergessen, dass alle Griffe und Techniken als angenehm empfunden werden müssen. Beobachten Sie deshalb die Reaktionen Ihres Partners immer sehr genau.

Mit dem Begriff „Faszie" wird die Haut bezeichnet, die alle Muskeln umhüllt und als Sehne mit dem Knochen verbindet. Die geeignete Massageform hierfür ist der **Fasziendehngriff**. Dazu greifen Sie mit einer Hand quer über den zu behandelnden Muskel. Drei bis vier gebeugte Finger dehnen den Muskel. Der Daumen greift den Rand des Muskels, wobei die andere Hand stützt. Ziehen bzw. schieben Sie nun mit diesem Griff den Muskel langsam und dehnend nach oben. Die Finger rutschen dabei nicht über die Haut, sondern bleiben immer an derselben Stelle. Dieser Griff eignet sich besonders gut für den „Muskelbauch", also die dickste Stelle des Muskels.

Wenden Sie diese Technik erst an, wenn Sie mit den einfachen Techniken genügend Erfahrungen gesammelt haben. Die Oberschenkelmuskeln sind zwar vergleichsweise kräftig, Sie greifen jedoch mit dem Fasziendehngriff tief in das Gewebe hinein, weshalb Sie hier besondere Vorsicht walten lassen sollten.

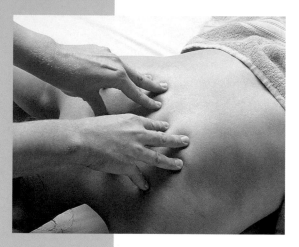

Mit **Vibrationen** sind rüttelnde Griffe gemeint, mit denen Körperpartien ins Schwingen gebracht werden. Sie sind strapaziös und setzen viel Übung voraus. Vibrationen regen das gesamte Nervensystem an und führen zu einer intensiveren Atmung. Setzen Sie bei diesen Griffen die Fingerspitzen beider Hände ein und rütteln Sie leicht vor und zurück; bewegen Sie gleichzeitig die Hände auseinander.

Mit **Klopfungen** umschreibt man eine ganze Familie von schnellen und „trommelnden" Griffen – eben Trommeln (mit der geballten Hand), Hacken (mit den Handballen), Schröpfen (mit der gewölbten Innenfläche der Hand). Auch diese Griffe erfordern sehr viel Erfahrung. Ihre Wirkung ist stimulierend und durchblutungsfördernd. „Geklopft" wird am Rücken, an Armen und Beinen.

DER RÜCKEN

Genau ein Drittel der deutschen Bevölkerung, so hat das Allensbacher Institut für Demoskopie 1995 ermittelt, leidet unter Rückenschmerzen oder Bandscheibenschäden. Rückenbeschwerden liegen damit in der Spitzengruppe der Erkrankungen an dritter Stelle und werden dabei nur noch von Erkältungen und Kopfschmerzen übertroffen. Es mag daran liegen,

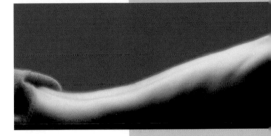

dass die menschliche Wirbelsäule nicht für den aufrechten Gang konstruiert wurde. Solange die Vorfahren des Menschen noch auf allen Vieren gingen, blieben sie von Bandscheibenvorfällen und eingeklemmten Ischiasnerven verschont, und so erinnert die Schwachstelle an den unteren Lendenwirbeln den „homo erectus" an seine Herkunft. Hinzu kommt, dass es zumindest den Menschen unserer Zeit, die sich zu wenig bewegen und nicht regelmäßig und zielstrebig ihre Rückenmuskulatur trainieren, an der notwendigen Muskulatur mangelt. Dieser Bewegungsmangel einerseits und falsche Belastungen, beispielsweise durch Heben von schweren Getränkekisten oder durch stundenlanges Sitzen am Schreibtisch oder im Auto, andererseits führen oftmals zu schmerzhaften Verspannungen der Rückenmuskeln. Hier kann eine sanfte Massage Linderung bringen und angenehmes Heilmittel sein. Für Massageanfänger ist der Rücken mit seinen großen Muskelflächen idealer Einstieg, ja die großflächigen Muskelpartien laden geradezu zur Massage ein. Der Rücken spricht sofort auf die richtigen Streichungen und Knetungen an und signalisiert schnell Entspannung und Wohlbefinden. Massieren Sie ruhig und einfühlsam, und holen Sie vor einer Massage unbedingt ärztlichen Rat ein, wenn Sie gerade am Rücken operiert worden sind oder an akuten Rückenbeschwerden leiden.

Legen Sie eine Schaumgummimatratze auf den Boden. Die zu massierende Person liegt auf dem Bauch. Polster (Kissen, Schaumgummi-Rollen, zusammengerollte Handtücher) unter Fußgelenken und Hüften sorgen dafür, dass die Wirbelsäule beim Liegen weniger verkrümmt wird, und unterstützen die notwendige Entspannung. Wer auf dem Boden massiert, braucht auch eine weiche Unterlage für die eigenen Kniegelenke. Decken Sie die Körperpartien, die Sie gerade nicht massieren, mit einem Handtuch ab, um die Wärme im Körper zu halten.

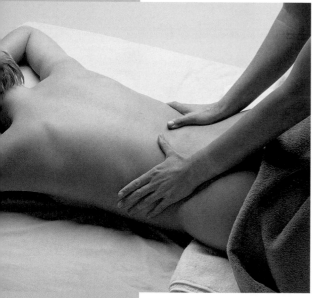

Stehen oder knien Sie seitlich vom „Patienten", verteilen Sie Öl oder Creme in den Handflächen und beginnen Sie – im Atemrhythmus des Behandelten – mit flächigen Ausstreichungen über den ganzen Rücken (Daumen rechts und links von der Wirbelsäule). Führen Sie jetzt beide Hände mit leichtem Druck in Richtung Kopf, ohne dabei die Wirbelsäule selbst zu berühren. Wenn Sie den Nacken erreicht haben, gleiten die Hände (immer mit Körperkontakt) nach außen und an den Körperseiten wieder herab. Wiederholen Sie die Streichungen bis zu sechsmal.

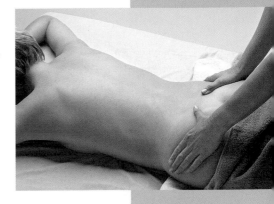

Hilfreich ist, wenn Sie sich vor Beginn im Kapitel „Grundtechniken" noch einmal mit den „Streichungen" befassen. Streichen Sie mit beiden Händen flächig auf dem Po-Ansatz von innen nach außen, in Richtung Hüfte. Da es sich um große und nicht allzu zarte Muskelpartien handelt, können Sie ein wenig mehr Druck ausüben. Achten Sie aber darauf, wie Ihre Partnerin oder Ihr Partner reagiert. Wiederholen Sie die Streichung langsam sechs- bis achtmal.

Nun ist der breite Rückenmuskel an der Reihe. Streichen Sie mit beiden Händen (eine Hand wird auf den Handrücken der anderen Hand gelegt und unterstützt die Bewegung) intensiv außen an den Flanken entlang in Richtung der Schultern.

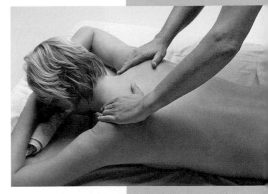

Wenden Sie sich dem Trapez-Muskel zu. Er befindet sich unterhalb und oberhalb der Schultern sowie zwischen ihnen. Ziehen Sie Ihre Hände von der Wirbelsäule ausgehend in Richtung Schultern. Diese großen Muskelpartien vertragen meist etwas stärkeren Druck. Reduzieren Sie aber den Druck sofort, wenn Ihnen Schmerz signalisiert wird.

23

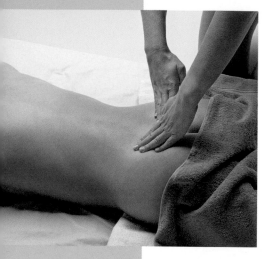

Bewegen Sie sich wieder nach unten und kümmern sich um den Kreuzbein-Bereich am unteren Ende des Rückgrats, wo die Wirbel in eine Platte münden, die mit dem Becken verbunden ist. Achten Sie auf gleitende Übergänge und bleiben Sie mit den Händen in Körperkontakt. Zur Anwendung kommt jetzt eine andere Technik, nämlich die des dehnenden Ausstreichens: Der Muskel wird mit den Fingerkuppen beider Hände (ohne Daumen) langsam auseinandergezogen bzw. -geschoben. In der Endphase wird die Position kurz gehalten (daher die Bezeichnung „dehnendes" Ausstreichen).

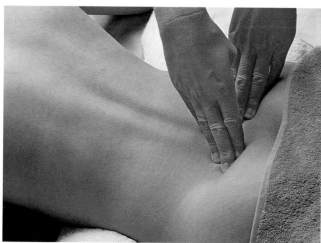

Die „intensiven Zirkelungen" (vgl. Kapitel „Grundtechniken", Seite 16) werden mit drei aufgestellten Fingerkuppen und beiden Händen ausgeführt. Gearbeitet wird kreisend direkt über der Kreuzbeinplatte.

Kneten Sie nun die langen Muskeln beiderseits der Wirbelsäule, also die Rückenstrecker und das Unterhautbindegewebe. Bewegen Sie sich dabei immer vom Kreuzbein in Richtung Kopf. Wie Fingerknetungen ausgeführt werden, lesen Sie ausführlich im Kapitel „Grundtechniken" (Seite 14).

Verweilen Sie, mit dem Daumen kreisend, noch ein wenig auf den Rückenstreckern, der Muskelgruppe, die den Rücken aufrichtet und das Rückgrat stützt. Viele Menschen mit Rückenschmerzen leiden nämlich gerade hier an schmerzhaften Verspannungen, da sie diese Muskeln falsch belasten.

Beginnen Sie mit der „Zirkelung" am unteren Rand des Schulterblatts und arbeiten Sie mit drei aufgestellten Fingern Ihrer „starken" Hand. Die freie Hand wird auf den Handrücken der arbeitenden Hand aufgelegt und unterstützt die Bewegung.

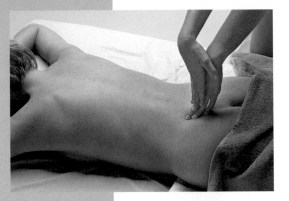

Wenn entlang der Wirbelsäule massiert wird, bedeutet das nicht, dass der Knochen selbst bearbeitet wird. Massiert werden immer nur die Muskelbereiche. Beginnen Sie unten am Kreuzbein und kreisen Sie mit den Fingerspitzen auf den Rückenstreckern; bewegen Sie sich dabei langsam nach oben.

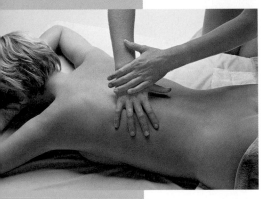

Den Brustkorbbereich gehen Sie nun mit „dehnenden Streichungen" an. Spreizen Sie dazu die Finger einer Hand, so dass die Fingerkuppen zwischen die Rippen passen. Streichen Sie mit sanftem Druck von der Wirbelsäule ausgehend in Richtung des äußeren Rippenrandes, führen Sie die Finger ohne Druck zur Wirbelsäule zurück und wiederholen Sie dies vier- bis sechsmal.

Im eher empfindlichen Bereich der Halswirbelsäule empfehlen sich sanfte Fingerknetungen, die mit Zeigefingern und Daumen beider Hände ausgeführt werden (vgl. Kapitel „Grundtechniken", Seite 14). Arbeiten Sie dazu langsam von der Hinterkopflinie nach unten bzw. vom siebten Halswirbel nach oben. Ausgeführt werden die Knetungen ebenso sanft wie langsam.

Begeben Sie sich auf die andere Seite des „Patienten" und wiederholen Sie alle Griffe und Techniken, die auf den Seiten 23–26 gezeigt wurden, auf der anderen Körperseite, damit beide Körperhälften gleich intensiv massiert werden.

Wechseln Sie danach an das Kopfende. Beginnen Sie an der Hinterkopflinie innen an der Wirbelsäule und bewegen Sie sich mit kreisenden Bewegungen der mittleren drei Finger beider Hände langsam in Richtung der Ohren.

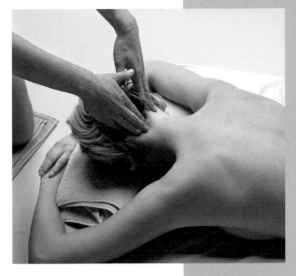

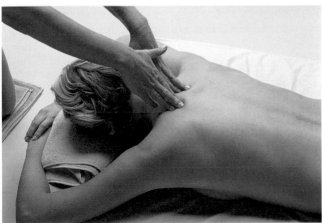

Bleiben Sie am Kopfende und kreisen Sie mit beiden Händen entlang der Wirbelsäule vom Kopf nach unten in Richtung Kreuzbein. Auch hier bleiben knöcherne Bereiche, also die Wirbelsäule selbst, ausgespart.

Setzen Sie alle Fingerkuppen der leicht geöffneten Hand auf dem Hinterkopf auf und bearbeiten Sie diesen Bereich in leichten Kreisen.

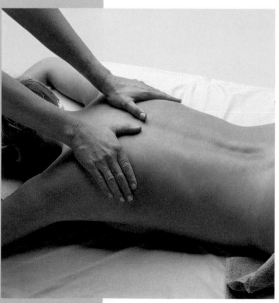

Wie schon zu Beginn unserer Rückenmassage nehmen Sie nun großflächige Ausstreichungen mit der flachen Hand vor. Bewegen Sie sich dabei vom Kopf langsam nach unten in Richtung Po. Streichen Sie entlang der Wirbelsäule nach unten und außerdem von der Wirbelsäule weg schräg nach unten. Achten Sie dabei immer auf die Reaktionen Ihres Gegenüber. Sollte etwas weh tun, verringern Sie sofort den Druck.

Zunächst begibt sich der zu Behandelnde in die Seitlage. Durch untergelegte Kissen oder Polster erreichen Sie, dass die Wirbelsäule gerade und entspannt bleibt. Kreisen Sie im seitlichen Bereich der Halswirbelsäule und arbeiten Sie dabei langsam vom Kopf ausgehend nach unten. Die kreisenden Bewegungen auf der anderen Körperseite wiederholen.

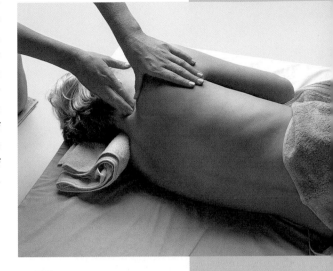

Fast sind Sie schon am Ende des großen Rückenmassage-Programms angelangt. Der Behandelte begibt sich nun in eine entspannte Rückenlage, die wiederum durch Unterlegen von Kissen oder Rollen so bequem wie möglich gestaltet wird. Für diesen Dehngriff haken Sie alle Finger an der Hinterkopflinie ein und ziehen dann den Kopf leicht zu sich heran. Bleiben Sie dabei in ständigem Kontakt zur massierten Person und kontrollieren Sie, ob der Zug von ihr als angenehm empfunden wird.

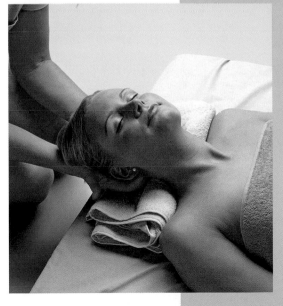

DIE SCHULTERN/ DER NACKEN

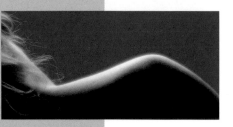

Stellen Sie sich nur einen Augenblick lang vor, was Ihre Schulter- und Nackenmuskeln von früh bis spät leisten müssen: Sie stützen permanent Ihren sechs bis sieben Kilogramm schweren Kopf. Täten sie es nicht, schwankte er hilflos hin und her. Die Schulter-Nackenmuskeln sind außerdem an fast jeder Bewegung der Arme und Hände beteiligt und kommen so während des Tages nie zur Ruhe. Und selbst des Nachts beanspruchen viele Menschen ihre Nackenmuskeln stark, indem sie ihren Kopf auf ein dem Verlauf der Halswirbelsäule nicht angepasstes Kissen betten. Auch psychische Anspannung wirkt sich auf die Nackenmuskeln aus. Im Stress werden nämlich instinktiv die Schultern zu den Ohren hochgezogen, und das führt zu Verspannungen. Doch auch viele andere Einflüsse, wie z. B. Kurzsichtigkeit, falsche Arbeitshaltung am Schreibtisch oder vor dem Computer, können für Verspannungen ursächlich sein. Um ihnen entgegenzuwirken, können Sie schon im Vorfeld etwas tun: Achten Sie auf die richtige Sitzhaltung z. B. im Auto oder am Arbeitsplatz und lassen Sie hier Ihren Kopf nicht nach vorne fallen. Dies führt automatisch zu einer „unnatürlichen" Biegung der Halswirbelsäule, die sich auf Kopf, Schultern, Arme und sogar auf die Finger auswirken kann. Gönnen Sie gerade diesen stark beanspruchten Muskelpartien außerdem regelmäßig eine gute Massage. Zwar eignet sich der Schulter-Nacken-Bereich kaum für die Selbstmassage, da Sie ihn allein nur schwer erreichen, doch für eine Partner-Massage ist er ideal. Hier gibt es eine Reihe von bewährten Techniken zur Entspannung, die Sie im folgenden Kapitel nachlesen können.

Der Massierte liegt in Bauchlage. Seine Lendenwirbelsäule ist unterlegt. Beginnen Sie aus seitlicher Position zum Massierten mit beidhändigen Ausstreichungen am oberen Rand des Trapezmuskels entlang, also von der Hinterkopflinie ausgehend hin zu den Schultern.

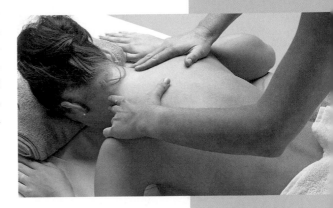

Streichen Sie sanft mit beiden Händen entlang der Wirbelsäule (nie auf der Wirbelsäule) nach unten in Richtung Po und dann wieder nach außen unter den Schulterblättern herum kreisend nach oben (acht Wiederholungen).

Kneten Sie mit Daumen und Zeigefinger beider Hände den Rand des Trapezmuskels auf der Ihnen gegenüberliegenden Seite Ihres Partners. (Im Kapitel „Grundtechniken", Seite 14, wird die Technik des Fingerknetens ausführlich beschrieben.) Lassen Sie sich Zeit dabei und wenden Sie nur so viel Druck an, dass die Knetung noch als angenehm empfunden wird.

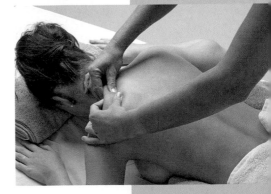

Um bei den sogenannten tiefen Zirkelungen mit den mittleren drei Fingern auch tief genug in die Muskulatur zu kommen, legen Sie die freie Hand auf den Handrücken der Arbeitshand. Behandelt wird die von Ihnen abgewandte Körperseite. Kreisen Sie sechsmal langsam entlang der Hinterkopflinie (dem unteren Rand des Schädels, der fast identisch ist mit dem Haaransatz).

Mit derselben Technik (eine Hand auf der anderen) kreisen Sie nun entlang der Wirbelsäule abwärts bis zur Mitte des Rückens. Beginnen Sie immer wieder am Haaransatz und wiederholen Sie die kleinen Zirkelungen abwärts noch dreimal.

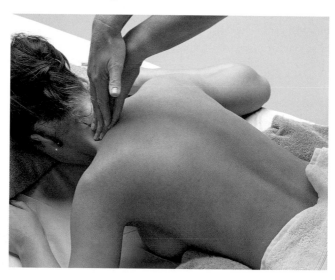

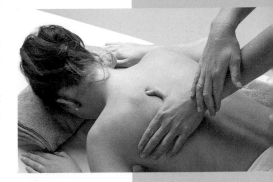

Zirkeln Sie nun ohne Verstärkung durch
die freie Hand nur mit dem Daumen und
beginnen Sie unten zwischen Schulterblatt
und Wirbelsäule. Bewegen Sie sich entlang
der Wirbelsäule nach oben bis zum
Nacken (vier bis sechs Wiederholungen).
Wenden Sie anschließend alle bislang
gezeigten Techniken für Schultern und
Nacken auf der anderen Körperseite an.

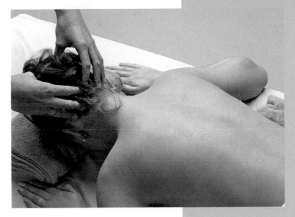

Zirkelungen auf der Kopfhaut
kennen Sie von der Haarwä-
sche. Begeben Sie sich dafür
ans Kopfende des Partners.
Massieren Sie entweder mit
sanfter Reibung ohne Druck
oder mit intensiverem Druck
ohne Reibung. Die Zirkelung
auf der Kopfhaut eignet sich
auch besonders gut zur Selbstmassage.

Bleiben Sie am Kopfende und setzen Sie
jetzt die mittleren drei Finger beider
Hände ein. Beginnen Sie mit kleinen Kreisen oben an der Hinterkopflinie und
bewegen Sie sich langsam entlang der
Halswirbelsäule und der Brustwirbelsäule
nach unten bis zur Mitte des Rückens. Setzen Sie wieder oben an und wiederholen
Sie diese Zirkelungen vier- bis sechsmal.

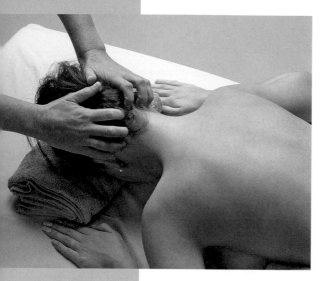

Ihre Position ist immer noch am Kopfende. Haken Sie sich nun mit allen Fingern (außer den Daumen) an der Hinterkopflinie (dort, wo der Schädel unten aufhört) ein und ziehen Sie den Kopf zu sich heran. Beginnen Sie mit sanftem Zug und intensivieren Sie ihn dann. Halten Sie den Zug bis zu einer Minute.

Die folgenden Übungen sind gut geeignet zur Durchführung im Büro. Die zu massierende Person sitzt entspannt auf einem Stuhl und legt die Unterarme auf einem Tisch ab. Die Stirn ruht auf den Handrücken. Wenn der Tisch sehr niedrig ist, legen Sie genügend Kissen unter. Eine zu stark nach vorn gebeugte Haltung erschwert die Entspannung.

Stehen Sie hinter dem Massierten und beginnen Sie mit
kräftigen beidhändigen Ausstreichungen, von der Hinterkopflinie an, entlang der Wirbelsäule nach unten bis zur
Mitte des Rückens. Regulieren
Sie den Druck durch Ihr Kör-
pergewicht, setzen Sie nahtlos
wieder oben an (sechs Wiederholungen).

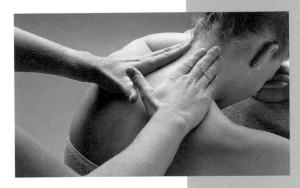

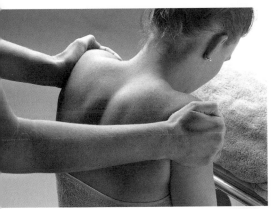

Fassen Sie mit bei-
den Händen außen
an die „Schulterku-
geln" des Massier-
ten und kreisen Sie
diese sanft zurück.
Das entspannt und
beugt einer schlech-
ten Haltung vor.

Üben Sie auf die wichtigsten
Akupressurpunkte des Na-
ckens (sie liegen am Haaransatz zwei Finger breit rechts
und links neben der Wirbelsäule) mit den Mittelfingern
beider Hände gleichmäßigen
und festen Druck (ohne Bewegung) aus. Halten Sie diesen
Druck zehn Sekunden.

Mit einer Knet-Technik behandelt wird nun der Deltamuskel, der gleichsam die gesamte Schulterkugel bildet. Ertasten Sie den Muskel und kneten Sie ihn intensiv mit beiden Händen, die abwechselnd zupacken. Es ist eine Bewegung, die der des Bäckers beim Kneten des Brotteigs ähnelt.

Beenden Sie die Schulter- und Nackenmassage mit ruhigen Ausstreichungen am Nacken beginnend entlang der Wirbelsäule nach unten.

Alle in diesem Kapitel vorgestellten Techniken können Sie sowohl in Bauchlage als auch in sitzender Position des Partners ausüben. In der Bauchlage fällt die Entspannung noch etwas leichter.

DIE BEINE

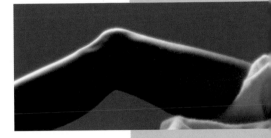

Damit wir nur einen einzigen Schritt machen können, müssen in unseren Beinen über einhundert verschiedene Muskeln tätig werden. Unsere gesamte Beweglichkeit beim Springen, Tanzen oder Laufen hängt von ihnen ab. Und selbst wenn wir nur still auf einem Fleck stehen, sind die Beinmuskeln trotzdem im Einsatz und stützen uns, damit wir nicht umfallen. Die meisten Menschen, mit Ausnahme der Post- oder Zeitungszusteller, fügen sich aber selbst Schaden zu, weil sie ihre Beine nicht genug bewegen. Sie verbringen entweder den Großteil des Tages im Sitzen und halten damit ihre Oberschenkel-Rückseite und Hüftbeuger in einer verkürzten Stellung oder müssen den ganzen Tag stehen und leiden, vor allem wenn sie schon älter sind, unter geschwollenen Füßen und Knöcheln. Hier bringt eine gezielte Massage Hilfe, da sie den Lymphrückfluss und den Blutkreislauf aktivieren kann. Die großen Muskelgruppen an Po, Oberschenkel und Unterschenkel sind mit den eigenen Händen gut zu erreichen. Bevor Sie einen Partner massieren, ertasten Sie doch einmal am eigenen Körper die Struktur Ihres Gesäßmuskels (Gluteus), der das Bein streckenden Oberschenkel-Vorderseite (Quadrizeps) und der das Bein beugenden Oberschenkel-Rückseite (Ischiocrurale). Sie spüren dabei, dass diese großen Muskeln einen festen Griff durchaus vertragen. Bitte denken Sie daran, dass Massagen in vielen Fällen Beschwerden lindern, dass aber bei Venenbeschwerden auf Massage verzichtet werden muss. Für die Durchführung einer Beinmassage gilt außerdem folgende Regel: Behandeln Sie immer zuerst das rechte Bein! Erst nach Abschluss des gesamten Programms wechseln Sie zur anderen Körperseite und massieren das linke Bein in derselben Weise.

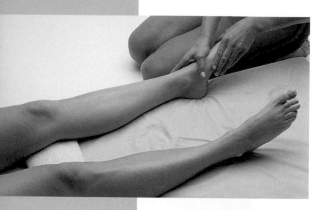

Für die Massage liegt die zu massierende Person bequem auf dem Rücken; der Oberkörper ist zum Warmhalten zugedeckt. Legen Sie eine Rolle oder ein Kissen unter die Kniekehlen. Beginnen Sie mit Ausstreichungen über Schienbein und Fußrücken mit einer Hand.

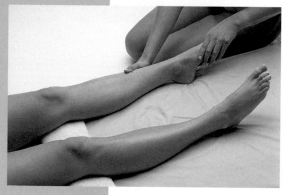

Als nächstes wird der Fußheber massiert. Dieser Muskel liegt neben dem Schienbein und wird mit einer Hand ausgestrichen. Dazu wird der Daumen oberhalb des Sprunggelenkes aufgesetzt und wandert in Richtung Knie.

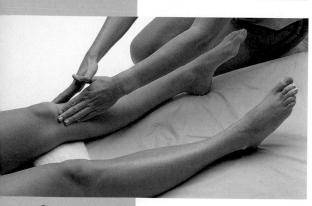

Bei den nun folgenden Ausstreichungen um die Kniescheibe herum setzen Sie bitte nicht Ihre Handflächen ein. Streichen Sie mit den Fingerkuppen beider Hände um die Kniescheibe, das Ganze von unten innen beginnend und kreisend außen herum nach oben.

Streichen Sie nun mit beiden Händen vier- bis sechsmal langsam und gleichmäßig die Oberschenkelvorderseite, den „Quadrizeps", aus und führen Sie dabei die Hände mit Druck von der Kniescheibe bis zur Leistenbeuge. An der Innenseite des Oberschenkels etwas vorsichtiger sein, da dort ein sehr wichtiges Blutgefäß zu finden ist.

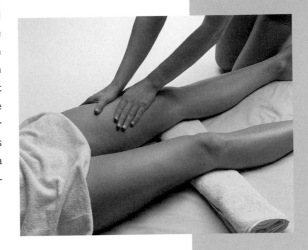

Stellen Sie den Unterschenkel Ihres Gegenübers leicht auf und streichen Sie vier- bis sechsmal seine Wadenmuskeln aus. Nehmen Sie dazu beide Hände und streichen Sie entlang der Ferse zur Kniekehle. Am inneren Rand des Schienbeins besondere Vorsicht walten lassen, da das Bein hier sehr druckempfindlich ist.

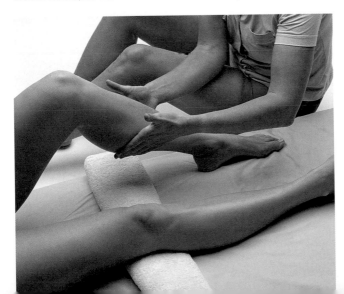

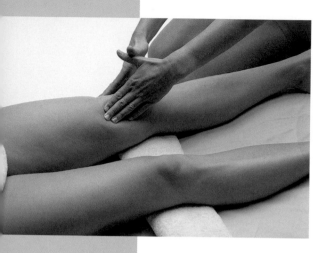

Als nächstes wenden Sie einen dehnenden Griff an und benutzen dazu die Finger beider Hände mit Ausnahme der Daumen. Das Bein ist hierzu ausgestreckt. Setzen Sie die Fingerkuppen am oberen Rand der Kniescheibe an und schieben Sie den Muskelansatz von der Kniescheibe weg nach oben. Gleiten Sie dann ohne Druck zur Ausgangsposition zurück und wiederholen Sie den Griff vier- bis sechsmal.

Stellen Sie das Bein des Massierten wieder auf und stützen Sie mit der linken Hand seinen Fuß ab. Über die Technik der Knetungen haben Sie sich ja schon im Kapitel „Grundtechniken" (Seite 12) kundig gemacht. Kneten Sie den Wadenmuskel sanft mit der rechten Hand durch; beginnen Sie dabei an der Ferse und enden Sie an der Kniekehle.

Die Position bleibt unverändert: aufgestelltes Bein. Eine Hand stützt den Fuß ab. Setzen Sie nun den Daumen der anderen Hand ein und führen Sie kleine Kreise auf dem Schienbeinmuskel aus. Beginnen Sie am Sprunggelenk und arbeiten Sie sich langsam zum Knie vor. Lassen Sie knöcherne Partien aus.

Das Bein wird gestreckt. Wechseln Sie nun die Technik: geknetet wird jetzt mit beiden Händen (vgl. Kapitel „Grundtechniken", Seite 13). Es geht um die Oberschenkel-Innenseite, die sogenannten Adduktoren. Wringen Sie diese Muskelgruppen (wie ein Handtuch) aus.

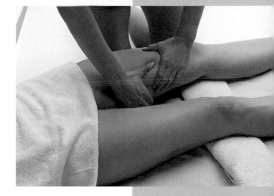

Nach der Oberschenkel-Innenseite ist dessen Außenseite an der Reihe. Setzen Sie eine Hand außen am Knie an und führen Sie dehnende Streichungen aus (vom Knie bis zur Hüfte). Die Muskeln außen sind eigentlich äußere Anteile der Oberschenkel Vorder- und Rückseite.

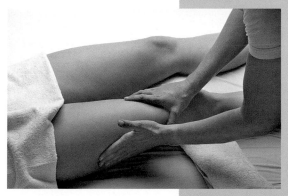

Anschließend beid-
händig die Ober-
schenkel-Vordersei-
te durchkneten. Die
Arbeitsrichtung ist
bekannt: vom Knie
ausgehend bis zur
Leiste. Beginnen Sie
mit sanften Knetun-
gen, die von Mal zu
Mal intensiver wer-
den.

Die großen Muskelgruppen der Oberschenkel-Vorderseite werden nach dem Kneten mit einer zweiten Technik bearbeitet: Führen Sie mit den vier Fingern einer Hand (ohne Daumen)
Zirkelungen vom Knie bis zur Hüfte aus (vgl. Kapitel „Grundtechniken", Seite 17). Die freie Hand unterstützt dabei den Druck.
Wiederholen Sie diese Zirkelungen noch dreimal.

Lassen Sie den Massierten in die Bauchlage wechseln. Legen Sie ein Kissen oder eine Rolle unter Hüften und Fußgelenke. Massiert wird nun die Oberschenkel-Rückseite. Zu Beginn wieder großflächige Ausstreichungen mit beiden Händen vornehmen.

Da der nächste zu behandelnde Muskel häufig stark verspannt ist, sollten Sie sich ihm in besonderer Weise widmen. Kneten Sie den „Bizeps femoris" (den an der Außenseite direkt oberhalb der Knickehle gelegenen Muskel) mit zwei Fingern. Beginnen Sie direkt am Knie und arbeiten Sie sich nach oben.

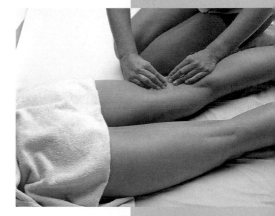

Ein zweites Mal geht es nun an die kräftige Oberschenkel-Rückseite. Kneten Sie den Beinbeuger beidhändig und kräftig von der Kniekehle bis zum Po durch. Führen Sie zum Abschluss am Po-Ansatz selbst noch sechs bis acht Knetungen durch.

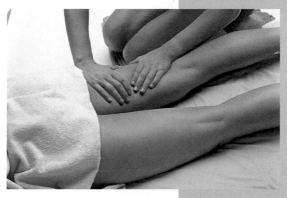

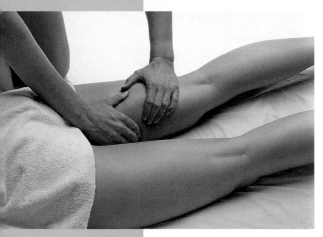

Gönnen Sie der Oberschenkel-Rückseite, deren Blutzirkulation beim Sitzen über lange Zeiten behindert wird, eine weitere Massage, und zwar mit Zirkelungen der ganzen Hand von der Kniekehle bis zum Po. Folgen Sie dabei dem Grundsatz: Sanftes Kreisen mit wenigen Fingern auf „zarten" Muskeln; kräftiges Kreisen mit vier Fingern (ohne Daumen) oder der gesamten Handfläche auf kräftigen Muskeln oder Muskelgruppen.

Führen Sie nun noch entlang des Beinbeugers dehnende Streichungen mit einer Hand durch. Ein Teil des Muskels wird dabei nach oben in Richtung Gesäß verschoben.

Setzen Sie beide Hände an der Innenseite des Oberschenkels unten an der Kniekehle an und beginnen Sie mit beidhändigem Kneten des inneren Randes der Oberschenkel-Rückseite. Bewegen Sie sich mit diesen Knetbewegungen langsam bis zur Leiste hoch. Massieren Sie zur Kniekehle zurück und wiederholen Sie diese Prozedur noch bis zu sechsmal.

Eine gute Massage wird in der Regel so beendet, wie sie begonnen hat: mit beruhigenden und entspannenden Ausstreichungen.

Streichen Sie also in einer fließenden Bewegung mit beiden Händen von der Ferse über den Unterschenkel, die Kniekehle und den Oberschenkel bis zum Po. Gleiten Sie ohne Druck zur Ferse zurück und wiederholen Sie diese Ausstreichung vier- bis sechsmal.

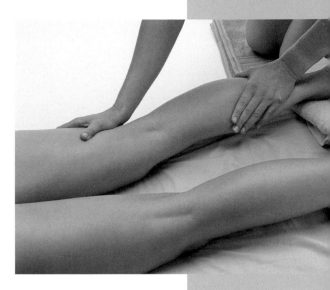

Um die gesamte Vorderseite ausstreichen zu können, muss sich der Massierte wieder in die Rückenlage begeben. Zur bequemen und entspannten Lage verhilft das Unterlegen von Rollen oder Kissen unter Nacken und Knie. Streichen Sie beidhändig vom Fußgelenk über den äußeren Schienbeinmuskel, den vorderen Oberschenkel bis zur Leiste.

DIE FÜSSE

Der aufrechte Gang des Menschen bedingt, dass unsere Füße ständig den Druck unseres Körpergewichts aushalten müssen, und dies sogar oft in einer unnatürlichen Position, beispielsweise wenn Frauen hochhackige Schuhe tragen. Bei sportlicher Betätigung, z. B. beim Herunterspringen von einem Hindernis, kann die Druckbelastung des Fußes überproportional ansteigen. Auch langes Stehen – unausweichlich in vielen Berufen – beansprucht unsere Füße häufig übermäßig. Die Folge: Die Blutzirkulation wird gestört, die Füße werden müde, schmerzen und schwellen an. Genügend Gründe, um unseren Füßen von Zeit zu Zeit etwas Gutes zu tun – am besten eine Fußmassage. Da viele Nervenenden in die Füße münden, kann eine Massage der Füße nicht nur Schmerzen lindern oder beheben, sie kann darüber hinaus das Wohlbefinden des ganzen Körpers steigern, besonders dann, wenn die Fußreflexzonen bearbeitet werden. In diesem Kapitel können wir uns der eigentlichen Fußreflexzonen-Therapie, die nur von ausgebildeten Physiotherapeuten beherrscht wird, allerdings nur annähern und nur einige leicht nachvollziehbare und anregende Griffe zeigen, die aber ganz bestimmt auch schon Ihr Wohlbefinden steigern und Ihren Füßen wohl tun werden. Am entspannendsten ist es natürlich, sich von einem Partner massieren zu lassen: Legen Sie sich dazu auf den Rücken bzw. auf den Bauch und genießen Sie die Wohltat, die Ihr Partner Ihnen angedeihen lässt. Doch selbstverständlich eignet sich gerade die Massage der Füße auch für eine Selbstmassage. Hierzu setzen Sie sich am besten entspannt auf einen Stuhl und legen den zu massierenden Fuß mit dem Knöchel auf das Knie des anderen Beins. Wenden Sie zunächst alle Griffe und Techniken nacheinander am rechten Fuss an. Erst dann wenden Sie sich dem linken Fuss zu.

Die positve Wirkung einer Fußmassage geht noch weit über den Fuss hinaus, wenn auch die „Fußreflexzonen" bearbeitet werden.

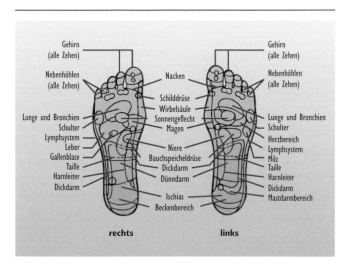

Gehirn
(alle Zehen)

Gehirn
(alle Zehen)

Nebenhöhlen
(alle Zehen)

Nacken

Nebenhöhlen
(alle Zehen)

Schilddrüse

Lunge und Bronchien
Schulter
Lymphsystem
Leber
Gallenblase
Taille
Harnleiter
Dickdarm

Wirbelsäule
Sonnengeflecht
Magen

Niere
Bauchspeicheldrüse
Dickdarm
Dünndarm

Lunge und Bronchien
Schulter
Herzbereich
Lymphsystem
Milz
Taille
Harnleiter
Dickdarm
Mastdarmbereich

Ischias
Beckenbereich

rechts   **links**

Als Erfinder dieser Sonderform der Massage werden in der Literatur abwechselnd der amerikanische Arzt W. Fitzgerald sowie die englische Masseurin Eunice D. Ingham genannt. Grundlage für deren Methode, auf die Fußsohlen Druck auszuüben, ist die Vorstellung, dass sich jeder Organbereich des Körpers einer bestimmten Zone an Füßen und Händen zuordnen lässt, und dass ein Einwirken auf diese Reflexzonen die jeweils zugeordneten Organbereiche positiv beeinflusst und harmonisiert. Anders ausgedrückt bedeutet dies: Schmerzt ein bestimmter Bereich der Fußsohle beim Reiben, deutet das auf eine Disharmonie im zugeordneten Organbereich hin. Die wichtigsten Reflexzonen sind auf der Grafik dargestellt. Gehen Sie in folgender Reihenfolge vor: Suchen Sie sich auf der Grafik oben den Reflexpunkt für den Körperbereich heraus, auf den Sie einwirken wollen. Verharren Sie auf diesem Punkt und drücken Sie bis zu zwei Minuten lang. Auch mit wenig Übung erreichen Sie dann schon verblüffende Ergebnisse, z. B. Schmerzlinderung bei Kopfweh oder Menstruationsbeschwerden (wenn Sie die Reflexzone des Nackens bzw. Beckens bearbeiten). Gehen Sie behutsam vor und vermindern Sie sofort den Druck bei auftretenden Schmerzen.

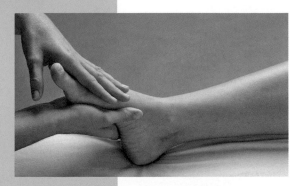

Ihr Partner liegt entspannt auf dem Rücken (Kniekehlen unterlegt). Sie stehen am Fußende und streichen mit beiden Händen flächig Fußsohlen und Fußrücken aus. Beginnen Sie an den Zehen und streichen dann in Richtung Ferse und Sprunggelenk. Füße sind Strapazen gewohnt. Sie können fest zupacken.

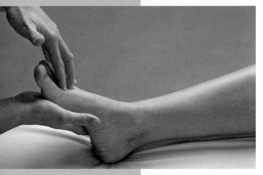

Stützen Sie den Fuß mit einer Hand ab und beginnen Sie mit dehnenden Ausstreichungen des Fußrückens. Führen Sie die Fingerkuppen der anderen Hand auf und zwischen den Sehnen des Fußrückens von den Zehen zum Sprunggelenk. Lassen Sie die Hand ruhig zurückgleiten und wiederholen Sie diese Streichung sechs- bis achtmal.

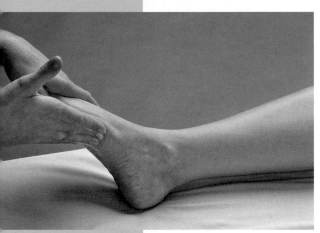

Bewegen Sie Ihren Mittelfinger in kleinen Kreisen auf dem inneren Rand der Fußsohle. Beginnen Sie an der großen Zehe und bewegen Sie sich am Fußrand entlang in Richtung der Ferse. Der dieser Reflexzone zugeordnete Bereich ist – wie Sie auf Seite 47 nachsehen können – die Wirbelsäule.

Greifen Sie mit Daumen und Zeigefinger die Zehen einzeln (mit dem großen Zeh beginnend) und ziehen Sie zwei- bis dreimal leicht daran. Das lockert und entspannt die Zehengelenke.

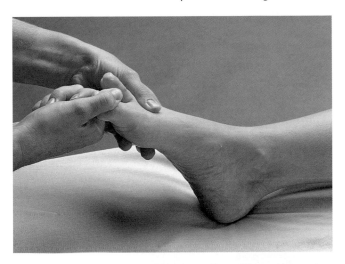

Mit demselben Griff (Daumen und Zeigefinger) greifen Sie nun in die Zehenzwischenräume und ziehen an der Haut zwischen den Zehen. Auch hier beginnen Sie zwischen dem großen und dem zweiten Zeh.

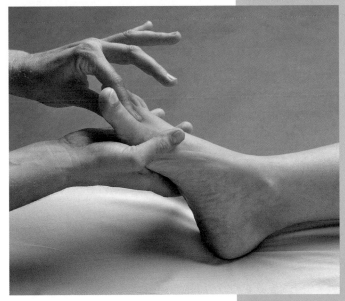

Ihr Partner dreht sich auf den Bauch (eventuell die Sprunggelenke unterlegen). Sie stehen am Fußende und greifen mit beiden Händen, wie mit Zangen, die Fußseiten an. Ziehen Sie den Fuß wie eine Ziehharmonika auseinander. Diesen Griff vier- bis sechsmal wiederholen.

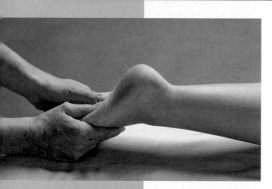

In derselben Position lassen sich bequem die einzelnen Reflexpunkte mit beiden Daumen kreisend bearbeiten: beispielsweise der des Darms bei einer Verstopfung oder der Fersenballen bei Menstruationsbeschwerden.

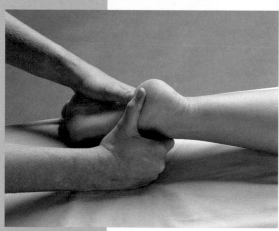

Beschreiben Sie mit den Daumen beider Hände große Kreise auf dem Fersenballen. Arbeiten Sie langsam, aber druckvoll. Achten Sie wie immer darauf, dass dies von Ihrem Partner nicht als schmerzhaft empfunden wird.

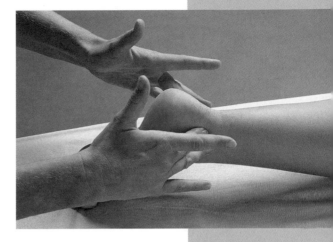

Kreisen Sie langsam mit dem Mittelfinger der einen Hand um den Außenknöchel und gleichzeitig mit dem Mittelfinger der anderen Hand um den Innenknöchel. Bei geschwollenen Füßen unterstützt dies den Lymphrückfluss und entspannt strapazierte Fußgelenke. Das Kreisen sechs- bis achtmal wiederholen.

Am Ende dieser Fußmassage stehen (wie am Ende jeder Massage) sanfte und beruhigende Ausstreichungen. Streichen Sie mit beiden Händen vier- bis sechsmal über Fußsohle und Fußrücken, von den Zehen ausgehend in Richtung Sprunggelenk. Nehmen Sie sich anschließend in gleicher Weise des anderen Fußes an.

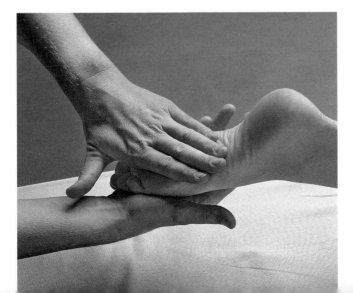

Sollten Sie niemanden haben, der Sie massiert, setzen Sie sich auf einen Stuhl mit Lehne und schlagen den zu massierenden Fuß über. Greifen Sie den Fuß mit beiden Händen (Finger am Fußrücken, Daumen an der Fußsohle) und streichen Sie die Fußsohle mit den Daumen aus.

Bleiben Sie in dieser Position und bewegen Sie beide Daumen in kleinen Kreisen auf der Fußsohle. Suchen Sie sich dazu die Reflexzonen auf der Grafik (Seite 47) aus, die Sie anregen möchten.

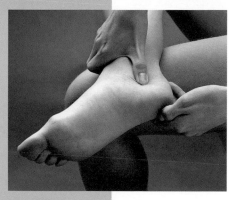

Bearbeiten Sie in dieser Position den rechten Innenknöchel kreisend mit dem Daumen der rechten Hand. Gleichzeitig kreisen die mittleren drei Finger der anderen Hand um den Außenknöchel. Beenden Sie die Selbstmassage mit den Ausstreichungen. Wechseln Sie die Position (anderen Fuß überlegen) und behandeln Sie den anderen Fuß.

DIE HÄNDE

Die Hände gehören mit zu den Körperteilen, die am meisten beansprucht werden, und dennoch kümmern wir uns zu wenig um diese filigrane Konstruktion, die sowohl Zärtlichkeit erweisen als auch fest zupacken kann. Wir erwarten, dass unsere Hände ein Leben lang funktionieren und vergessen, dass sie, wie andere Körperteile auch, ermüden und verspannen können. Bei starker Überbeanspruchung der Hände – in vielen Berufen (beispielsweise bei Schreibkräften, Kassiererinnen, Musikern) durch einseitige Dauerbelastung nicht zu vermeiden – können neben Verspannungen und Überdehnungen

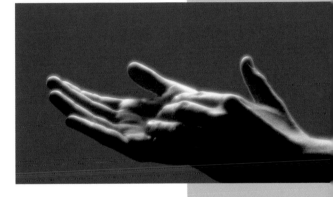

Schmerzen auftreten, die Ihr Wohlbefinden stark beeinflussen. Spätestens dann sollten Sie an eine Massage Ihrer Hände denken, aber natürlich werden es Ihnen Ihre Hände auch danken, wenn Sie sie schon früher, ohne erkennbaren Grund regelmäßig pflegen und massieren. Sie werden sich wundern, wie positiv sich die Behandlung einer so kleinen Körperpartie auf Ihren gesamten Körper auswirkt, besonders wenn die Reflexzonen der Hand massiert werden (vgl. Grafik Seite 54). Schon wenige Massagegriffe genügen, um Spannungen zu lösen, Schmerzen zu lindern und die Beweglichkeit der Gelenke zu verbessern.

Auf den nachfolgenden Seiten zeigen wir Ihnen neun verschiedene Griffe speziell zur Massage der Hände eines Partners, einige davon eignen sich auch zur Selbstmassage.

Zur Handmassage werden nachfolgend eine Reihe von Griffen aus dem Bereich der Reflexzonentherapie angeboten. Nehmen Sie sich ein wenig Zeit und gehen Sie die wichtigsten Reflexzonen auf der Grafik oben in Ruhe durch. Suchen Sie die Zonen dann auch auf der eigenen Hand. Hinter dieser Methode steht die Erkenntnis, dass sich Organe und Körperbereiche gewissermaßen auf Fuß- und Handflächen wiederspiegeln. Wissenschaftler fanden heraus, dass es zwischen den inneren Organen und bestimmten Hautpartien (die nicht einmal in direkter Nachbarschaft liegen müssen) „reflektorische Verbindungen" gibt. Diese Zusammenhänge wurden systematisch erforscht und in regelrechte Landkarten von Körperzonen eingearbeitet. Prägen Sie sich ein, dass grundsätzlich die rechte Körperhälfte ihre Reflexzonen auf der rechten Hand (und dem rechten Fuß) hat. Mit der linken Seite verhält es sich natürlich ebenso. Professionelle Reflexzonentherapie setzt zwar Wissen und viel Erfahrung voraus. Aber auch Laien ohne viel Vorwissen können durch ein leichtes Drücken bestimmter Punkte auf sanfte Weise die dazugehörigen Organe reizen oder anregen und damit über die Hand auf den gesamten Körper einwirken.

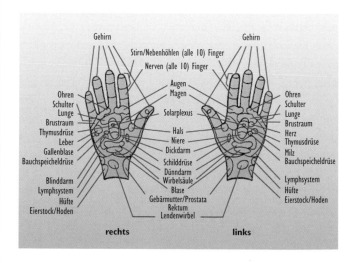

Lassen Sie Ihren Partner sich bequem auf dem Rücken ausstrecken. Unterlegen Sie Kniekehlen und den Nacken mit einem kleinen Kissen. Während Sie die Hände massieren, bleibt der Rest des Körpers warm zugedeckt. Widmen Sie sich mit der kompletten Handmassage zunächst der einen Hand und nehmen Sie sich danach erst die zweite Hand vor. Setzen Sie sich jeweils seitlich vor Ihren Partner. Streichen Sie den Handrücken von den Fingern zum Handgelenk mit einer Hand aus, die andere Hand stützt von unten (vier bis sechs Wiederholungen).

Anschließend den Arm umdrehen und die gleichen Ausstreichungen über die Handfläche ausüben.

Führen Sie mit den drei mittleren Fingern einer Hand sanfte Kreise auf dem Handgelenk (Handrückenseite) aus. Diese Zirkelungen auf dem Gelenk fördern den Stoffwechsel dieses wenig durchbluteten Bereichs und helfen zu verhindern, dass sich Ablagerungen bilden (sechs bis acht Kreise).

Drehen Sie sich mit dem gesamten Körper in Richtung der Füße Ihres Partners. Nehmen Sie die ausgestreckte Hand (Handrücken nach oben) in beide Hände und bearbeiten Sie den Handrücken kreisend mit beiden Daumen (sechs bis acht intensive Kreise).

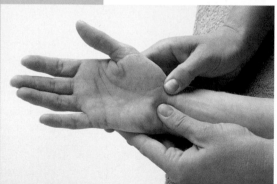

Bleiben Sie in der Position, greifen Sie die nach oben geöffnete Hand mit beiden Händen am Gelenk und bearbeiten Sie die Gelenkinnenseite (dort, wo man den Puls fühlt) kreisend mit beiden Daumen.

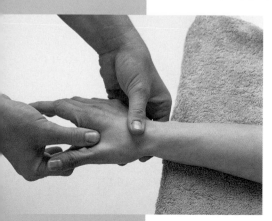

Drehen Sie sich wieder zum Gesicht. Nun folgt das zupfende Wegziehen der Hautpartien zwischen den Fingern, wie Sie es schon bei der Fußmassage ausgeführt haben (siehe Seite 49). Ziehen Sie mit Daumen und Zeigefinger die Haut zwischen den Fingern von der Hand weg. Beginnen Sie zwischen Daumen und Zeigefinger (vier bis sechs Wiederholungen).

Ziehen Sie mit Daumen und Zeigefinger nacheinander jeden Finger (mit dem Daumen beginnend) sanft von der Hand weg. Gleiten Sie dabei über den gesamten Finger, d. h. ziehen Sie erst am Grundgelenk und gleiten Sie danach über das mittlere Gelenk bis zu den Fingerspitzen.

Nun widmen Sie sich der Haut zwischen Daumen und Zeigefinger, greifen diese mit zwei Fingern (ebenso Daumen und Zeigefinger) und drücken diese Hautpartien. Ihre Finger machen dabei eine Bewegung wie beim Geldzählen.

Beenden Sie die Behandlung der Hand so, wie Sie begonnen haben, nämlich mit sanften Ausstreichungen. Streichen Sie dazu mit beiden Händen gleichzeitig über Handrücken und Handfläche.

Nachdem Sie eine Hand vollständig massiert haben, gehen Sie ruhig zur anderen Seite und nehmen sich die zweite Hand mit derselben Intensität vor.

DAS GESICHT

Eine Gesichtsmassage gehört zu den angenehmsten und besten Dingen, die Sie für Ihre Schönheit und den Teint tun können. Sie entspannt nämlich und fördert die Durchblutung Ihrer Haut. Außerdem dringen die Cremes und Öle, die Sie während einer Massage verwenden, durch die sanften Einreibungen tiefer als gewöhnlich in die Haut ein, wodurch Ihr Gesicht mehr Feuchtigkeit und Pflege erhält und besser gegen schädliche

Umwelteinflüsse geschützt ist. Insofern trägt eine gute Gesichtsmassage dazu bei, der Alterung der Haut ein wenig vorzubeugen, doch natürlich ist sie kein Heilmittel gegen Fältchen. Aber sie lockert Ihre Gesichtsmuskeln, lässt Ihr Gesicht glatter und weniger angespannt aussehen und vermag darüber hinaus bei Kopfschmerzen, Nervosität und Erschöpfungszuständen Linderung zu bringen.

Mit Hilfe eines Spiegels ist es kein Problem, eine Gesichtsmassage an sich selbst vorzunehmen. Nutzen Sie doch einfach Ihre tägliche Gesichtspflege am Morgen und am Abend und probieren Sie währenddessen einige der hier vorgestellten Anwendungen. Verwenden Sie dabei etwas mehr von Ihrer normalen Tages- bzw. Nachtcreme als gewöhnlich, damit Ihre Finger besser über die Haut gleiten können. Bevor Sie sich den empfindlichen Hautpartien und feinen Gesichtsmuskeln eines anderen zuwenden, sollten Sie unbedingt die in diesem Kapitel vorgeschlagenen Techniken an sich selbst ausprobieren. So bekommen Sie ein Gefühl dafür, welcher Griff besonders gut tut und mit welcher Intensität Sie ihn bei einem anderen ausüben können. In jedem Fall gilt es, behutsam und vorsichtig ans Werk zu gehen, um den vergleichsweise zarten, empfindlichen Gesichtsmuskeln nicht zu schaden.

Ihre Position ist stehend oder sitzend hinter Ihrem Partner, der in einer bequemen Rückenlage liegen sollte. Unterlegen Sie seinen Nacken, da dies die gewünschte Entspannung verstärkt. Bei den hier vorgeschlagenen sanften Streichungen und Zirkelungen können Sie auch eine Creme benutzen, die sonst Ihrer Gesichtspflege dient. Wer eine Gesichtsmassage erhält, sollte während der Behandlung keine Kontaktlinsen tragen.

Beginnen Sie mit Ausstreichungen entlang des Unterkiefers von innen nach außen und benutzen Sie dazu die Finger beider Hände mit Ausnahme der Daumen (vier Wiederholungen).

Fahren Sie nun weiter oben mit sanften Ausstreichungen fort und streichen Sie von den Nasenflügeln nach außen zu den Ohren. Da diese Hautpartien besonders zart sind, sollten Sie sehr behutsam und vorsichtig vorgehen. Wiederholen Sie die Ausstreichungen viermal.

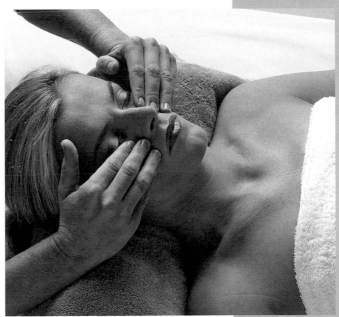

Streichen Sie ebenso von der Stirnmitte zu den Schläfen. Wiederholen Sie auch diese Ausstreichung viermal mit etwas Druck.

Beschreiben Sie „stehende Kreise" mit den Zeige-, Mittel- und Ringfingern beider Hände. Beginnen Sie am Kinn und wandern Sie langsam am Unterkiefer entlang in Richtung der Ohren. Setzen Sie dazu die Finger auf. Kreisen Sie viermal auf einer Stelle, bevor Sie höher gehen.

Fahren Sie mit den „stehenden Kreisen" in der Gesichtsmitte fort. Beginnen Sie an den Nasenflügeln und bewegen Sie sich langsam in Richtung der Wangen. Achten Sie bei allen Griffen stets darauf, dass diese vom Behandelten als angenehm empfunden werden (viermal wiederholen).

Nun zirkeln oder kreisen Sie nur mit den Mittelfingern beider Hände an der Nasenwurzel (also dort, wo die Augenbrauen innen ansetzen). Bleiben Sie ruhig eine Minute an dieser Stelle, deren Massage meist als besonders angenehm empfunden wird.

Bei unveränderter Technik führen Sie jetzt kleine Kreise direkt auf den Augenbrauen (vom inneren Ansatz nach außen) aus. Achten Sie darauf, dass Sie nicht unangenehm an den Brauen zupfen und der Druck angenehm ist.

Üben Sie direkt auf den Bereich der Augenbrauen mit Daumen und Zeigefinger leichten Druck aus. Die linke Hand widmet sich dabei der linken und die rechte der rechten Augenbraue. Pressen Sie die Hautfalten ruhig ein wenig.

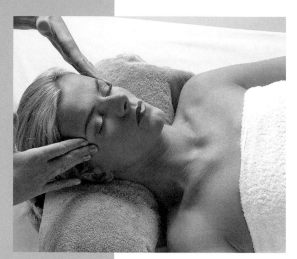

Zirkeln Sie nun mit den drei mittleren Fingern jeder Hand (Zeigefinger, Mittelfinger und Ringfinger) auf den Schläfen. Üben Sie dabei einen sanften Zug nach außen in Richtung des Haaransatzes aus (sechs bis acht Kreise).

Streichen Sie zum Abschluss der Massage wieder das behandelte Gesicht aus. Nehmen Sie dazu am besten die Innenseite der Daumen und streichen Sie von der Mitte der Stirn nach außen, über die Schläfen und Wangen abwärts nach innen zur Kinnmitte. Das Ganze drei- bis viermal wiederholen.

REGISTER

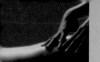